LA MASCOTA

ENRIC LLUCH
DIBUJOS: SUBI

Primeros cuentos

ROSA TIENE UNA PERRA LA MAR DE SIMPÁTICA. ANDRÉS TIENE UN GATO.

EL HÁMSTER DE ANABEL COME PIPAS Y CACAHUETES. Y DA VUELTAS Y MÁS VUELTAS.

–MIS PECES CRÍAN EN LA PECERA. CADA VEZ TENGO MÁS –DICE PAULA.

PERO TONI NO TIENE NINGUNA MASCOTA. NI PERRO, NI GATO, NI HÁMSTER, NI PECES…

A MEDIODÍA SE ATREVE A PEDIRLES UNA A SUS PADRES.

SU PADRE SE QUEDA MIRÁNDOLO EXTRAÑADO. ¿UNA MASCOTA? ¿PARA QUÉ?

–YO LE DARÍA DE COMER, LA CUIDARÍA Y LE HARÍA COMPAÑÍA...

TOM

SU PADRE PROPONE OTRA COSA:
LE COMPRARÁN UNA MASCOTA
DE PORCELANA.

–ASÍ NO HARÁ PIPÍ NI CACA, NI MOLESTARÁ CON GRITOS O RUIDOS.

TONI SE PONE UN POCO TRISTE. PAPÁ LE GUIÑA UN OJO A MAMÁ.

AL DÍA SIGUIENTE, SUS PADRES LE REGALAN UN CANARIO AMARILLO.

TOM

Licencia editorial por cesión de Edicions Bromera, SL (www.bromera.com).

Título original: *Vull un animalet*
© Enric Lluch Girbés, 2012
Traducción del autor
© Dibujos: Joan Subirana Queralt, 2012
© Algar Editorial
Apartado de correos 225
46600 Alzira
www.algareditorial.com
Diseño: Pere Fuster
Impresión: AGSM

1ª edición: noviembre, 2012
ISBN: 978-84-9845-358-4
DL: V-3042-2012